KB096302

세상엔
맛있는 게
너무많아

세상엔
맛있는 게
너무많아

직접 그린 손그림을 그려 넣은

먹고 싶은 게 많은

학생의 먹거리 애찬론

김지우 지음

차
례

장
맛있는 일식
&
중식

프롤로그

음식만큼 호불호가 강한 주제는 없을 것이다.

누군가는 좋아하는 음식 앞에서는 사족을 못 쓰지만 싫어하는 음식이라면 쳐다보지도 않는다. 또 어떤 이는 특정한 음식 때문에 여행을 떠날 정도로 좋아한다.

누군가에게는 맛보다는 추억 때문에 찾게 되는 음식일 수도 있고, 또 어떤 이에게는 단순히 맛있어서 즐겨 찾는 음식일 수도 있을 것이다.

특히 나는 먹을 때 행복하다. 연어회랑 텐동 등의 음식을 먹을 때면 시무룩해 있다가도 입가에 절로 미소를 짓게 만들어주는 음식들을 직접 그린 손그림과 함께 소개하려고 한다.

자, 함께 맛있는 음식들을 먹으러 떠나볼까?

짱
맛있는 일식
&
중식

텐동

신발도 튀기면 맛있다는 말이 있듯이 각종 야채와 해산물 튀김으로 장식된 이 음식은 그야말로 맛이 없을 수가 없다.

이 음식은 바로 일본식 튀김 덮밥 텐동으로 노릇노릇하게 구워진 울퉁불퉁한 모양의 각종 튀김들이 가득 들어 있다.

탱글탱글한 새우튀김부터 바삭바삭한 팽이버섯 튀김, 고소하면서도 약간은 쌉쌀한 꽈리고추 튀김, 달달한 단호박 튀김, 겉은 바삭하지만 속은 말랑말랑한 느타리버섯 튀김, 그리고 빠질 수 없는 계란튀김이 한국인의 소울 푸드인 밥 위에 올라가 있다.

말 다했네, 다했어.

각종 튀김이 서로에게 위태롭게 뒤엉켜 나온 덮밥을 보면 어떤 튀김부터 먹을지 행복한 고민을 하게 된다.

첫 번째 주자는 튀김의 근본인 새우튀김이다.

바삭바삭한 튀김옷 뒤에 숨어 있는 탱글탱글한 새우가 고소함과 감칠맛을 내뿜으며 입맛을 돋워준다.

그리고 빠질 수 없는 느타리버섯과 단호박 튀김, 튀김옷과는 대비되는 말랑말랑한 식감과 단호박의 달달한 맛은 아무리 야채를 싫어하는 사람도 먹을 수 있을 듯한 맛이다.

느타리튀김이 마치 바삭말랑이라면 이와 비교되는 바삭바삭한 팽이버섯 튀김도 존재한다.

얇고 가느다란 버섯들이 촘촘히 펼쳐져 마치 부채를 연상시키는 튀김 한입을 베어 물면, 정말 극강의 바삭함과 그 안에 들어있는 고소함을 맛볼 수 있다.

그리고 마지막으로 남겨둔 대망의 계란튀김. 튀김만 먹어 속이 느글느글거릴 때쯤 숟가락으로 '톡' 하고 반으로 자른다.

그러면 안에 있던 노른자가 줄줄 흘러나와 쯔유로 간장 된 밥에 스며든다.

그렇게 터뜨려진 계란을 이미 간이 된 밥과 함께 비벼 한입에 넣으면..!

조각난 계란흰자의 담백함, 노른자와 쯔유로 간이 되어서 달달한 죽 식감의 밥이 목구멍으로 꿀떡꿀떡 넘어가 어느새 그릇은 텅텅 비어있다.

텐동

각종 튀김이 서로에게 위태롭게

뒤엉켜 나온 덮밥을 보면

어떤 튀김부터 먹을지

행복한 고민을 하게 된다.

장어덮밥

뽀얀 쌀밥 위에 노란 계란 지단과 흰색 양파, 각종의 야채들 그리고 그 위를 마치 가마솥뚜껑처럼 덮어 밥의 온기를 보존해 주는 이 메뉴의 메인이 있다.

바로 진한 갈색의 반짝반짝 윤기 나고 토실토실한 바싹 구워진 장어, 이것이 바로 한 그릇의 푸짐한 보양식 장어덮밥이다. 사실 나는 장어를 좋아하지 않는다. 아니, 정확히 말한다면 좋아하지 않았다.

화사하고 밝은 색의 다른 회들과는 달리 유독 구리구리한 갈색에 바싹 익혀진 겉면이 딱 봐도 까끌까끌 해보여 항상 모둠초밥에서 나의 기피대상 1호였다.

하지만 장어를 처음 입에 넣자 달달하면서도 묘하게 짭짤한 소스가 부드럽게 씹히는 장어와 섞여서 입에서 사르르 녹아내림과 동시에 나의 '장어는 까끌까끌할 것이다'라는 편견까지 함께 녹아내렸다.

이렇게 맛있는 장어가 한국인의 소울푸드인 밥 위에 올려져 있으니 맛이 없을래야 없을 수가 없다. 찰진 쌀밥 중간중간에 씹히는 아삭아삭한 야채와 장어 위에 듬뿍 발라져 있던 양념이 밥과 잘 섞이고 스며들어 밥의 씹는 맛과 장어의 보들보들함을 동시에 느낄 수 있다.

그러다 다량의 소스로 차츰 밥이 느끼 해질 때쯤 반찬으로 제공되는 고추냉이, 깻잎, 그리고 단무지등을 함께 먹으면 톡 쏘는 맛과 함께 느끼함을 잡아줘 덮밥이 뱃속으로 계속 들어가게 된다.

거기다 마지막으로 따뜻한 미소국으로 배를 싸악 적셔줘 온몸 안에 온기가 퍼지면 그제야 식사가 마무리된 것이라고 볼 수 있다.

이 맛있는 음식을 내가 조금 더 일찍 알았더라면 좋았을 텐데라는 아쉬움이 들지만 이번 새로운 음식 도전은 대성공인 듯하다.

이제부터 내 보양식은 장어덮밥!

장어덮밥

탱글탱글한 새우튀김부터

바삭바삭한 팽이버섯 튀김

약간은 쌉쌀하면서도 고소한 꽈리고추 튀김

달달한 단호박 튀김

겉은 바삭하지만 속은 말랑말랑한 느타리버섯 튀김

그리고 빠질 수 없는 계란튀김이

한국인의 소울 푸드인 밥 위에 올라가 있다

연어회

어렸을 때 제주도로 이사를 가 사방에 바다로 둘러싸여 살아온 나는 회 맛을 일찍 알아 외식을 할 때 주로 횟집에 가곤 했다.

회를 입에 넣을 때마다 느껴지는 은은한 감칠맛과 고소함이 자꾸만 젓가락이 가게 하는 쫄깃함이 나의 혀를 사로잡았다. 그중에서도 내가 제일 좋아하는 회가 있는데 그것은 바로 연어회이다. 윤기 나는 주황색빛에 흰색 줄무늬를 보는 순간 벌써부터 입에 침이 고이기 시작한다.

한 입 크게 베어 물면 입안에 넣었던 연어가 마치 한여름의 아이스크림처럼 이것이 진정 고체가 맞나 싶었을 정도로 사르르 녹아내린다.

연어가 입에서 사라지기 직전에 그 느끼함이 다 먹고도 혀 끝에 남아돌아 몸이 붕 뜨는 기분과 함께 극한의 황홀함을 느낄 수 있는 맛이다.

물론 이렇게 생으로 먹는 연어도 맛있지만 구워 먹으면 맛있음이 배가 된다.

정성을 담아 구워서 살색빛이 도는 연어에 젓가락을 푹하고 찍으면 힘을 쓰지 않아도 혼자서 부드럽게 쫙쫙 갈라지는 모습이 벌써부터 나의 침샘을 자극한다.

그렇게 내 입으로 연어가 직행해 혀에 닿는 순간 위에 있던 후추와 소금의 짭조름함과 연어의 구수함이 합쳐져 나와 함께 녹아내려버린다.

갓 구운 연어의 뜨끈 뜨끔한 김이 접시 위에서 몽글몽글 솟아올라 나의 마음까지 따뜻하게 해 준다.

연어회

갓 구운 연어의

뜨끈 뜨끔한 김이

접시 위에서

몽글몽글 솟아올라

나의 마음까지

따뜻하게 해 준다.

냉우동

추운 겨울, 김이 모락모락 솟아올라 나의 손을 녹이며 발끝부터 온몸을 따뜻하게 해주는 우동!

뜨거운 음식인 만큼 겨울에 많이들 먹곤 하는데 이렇게 맛있는 우동을 여름에도 먹을 수 있다고? 겨울날에 우릴 녹여줄 뜨끈뜨끈한 우동이 있다면 더운 여름날에는 열기를 가라앉혀줄 냉우동이 있다.

짙은 갈색 국물 위에 동동 떠다니는 얼음, 반짝반짝 윤기 나는 면발과 울퉁불퉁, 노릇노릇 잘 구워진 새우튀김. 반 잘린 계란과 얇게 썬 오이로 장식되어 있는 면을 살살 풀어주면 육수가 면에 천천히 스며든다.

입 안으로 한가득 들어오는 우리가 흔히 아는 쫄깃쫄깃하면서 통통한 우동사리가 깔끔하면서 약간의 짠맛과 고소한 국물에 젖여져 목구멍을 시원하게 해 줌과 동시에 더위를 날려버린다.

뜨거운 열기에 부드러워졌던 우동의 면과는 달리 탱글탱글한 면발이 새콤달콤한 육수와 잘 어우러져 위에 둥둥 떠다니던 살얼음을 떠먹으면 그보다 시원한 게 없다.

담백 퍽퍽한 계란과 시원한 국물의 조합은 말해 뭐 해, 오이마저도 이미 시원한 육수에 상큼함과 아삭아삭 씹히는 식감으로 먹는 재미를 선사한다. 하지만 냉우동은 면을 먹기 전에 꼭 먼저 먹어야 할 것이 있다.

바로 같이 나오는 새우튀김인데 너무 오랫동안 방치하다 보면 튀김옷이 눅눅해져 맛이 없게 된다. 때문에 국물에 적당히 담근 후 먹어야 튀김옷도 바삭바삭한 상태를 유지하고 안에 있는 새우의 탱글탱글함과 고소함이랑 잘 어우러져 먼저 먹는 것을 추천한다.

쫄깃쫄깃 맛있는 냉우동, 시원한 게 여름음식이라고들 하지만 겨울에도 번번이 생각나는 마성의 면요리이다.

냉우동

짙은 갈색 국물 위에 동동 떠다니는 얼음

반짝반짝 윤기 나는 면발과 울퉁불퉁

노릇노릇 잘 구워진 새우튀김

반 잘린 계란과 얇게 썬 오이로

장식되어 있는 면을 살살 풀어주면

육수가 면에 천천히 스며든다.

타코야끼

골프공 모양의 움푹 파인 팬을 버터로 치장한 후 밀가루 반죽을 붓고 그 안에 문어조각을 넣은 뒤 젓가락으로 뒹굴뒹굴 굴려서 동글동글해진 반죽 위에 데리야끼 소스와 마요네즈 그리고 가쓰오부시까지 솔솔 뿌려주면 타코야끼 완성이다.

익숙한 냄새가 진동하는 종이박스를 열면 사방으로 너덜너덜해진 가쓰오부시 안에 숨은 동그라미 모양의 빵이 보인다.

나무꼬챙이를 집어 콕하고 반죽 사이로 집어넣어 그 동그라미를 끄집어내면 비로소 먹을 준비가 다 된 것이다.

뜨끈뜨끈한 타코야끼, 맛있어 보인다고 받은 직후 바로 입에 넣으면 혀가 타들어가는 고통을 느낄 수 있다.

적당히 후후 불어 식힌 후 한입에 넣어주면 바삭바삭한 반죽 위에 코팅되어 있는 짭짤하면서도 달달한 돈가스소스와 마요네즈를 맛볼 수 있다.

그 소스를 뚫고 씹다 보면 안에 있는 촉촉하면서 따뜻한 밀가루 반죽과 섞여 쫀득쫀득한 반죽은 물론 함께 있던 가쓰오부시 특유의 감칠맛까지 느껴진다.

시간이 지나면 타코야끼의 하이라이트, 반죽의 열기 때문에 부드러우면서도 쫄깃한 문어조각도 함께 씹히면서 담백함마저도 준다.

그렇게 멈추지 않고 꿀떡꿀떡 한입에 넘기다 보면 박스에 있었던 동글이들은 온데간데 사라져 있어 괜히 아쉬운 마음에 남은 가쓰오부시만 쿡쿡 찔러댈 뿐이다.

타코야끼

타코야끼의 하이라이트,

반죽의 열기 때문에

부드러우면서도 쫄깃한 문어조각도

함께 씹히면서 담백함마저도 준다.

완탕면

"면" 하면 어떤 이미지가 떠오르시나요?

매끄럽고 탱탱한 당면, 굵고 부드러워 입에서 잘 끊기는 밀가루면, 쫄깃쫄깃하고 탄력 있는 탱탱한 쫄면 등 이 모든 면들을 제친 면이 있다. 바로, 얇고 꼬들꼬들한 식감의 계란으로 만들어진 생소하게 들리겠지만 중독성이 강해 모두의 입맛을 사로잡을 '에그누들'을 사용한 홍콩의 대표 면요리인 완탕면이 오늘의 요리다.

뜨끈뜨끈한 노란색 국물과 우무실 같이 얇은 샛노랑 면, 그 위에 돛단배처럼 둥둥 떠다니는 자글자글 주름 가득 완탕과 노란색 가운데 포인트를 장식하는 송송 썰린 파까지 확실히 우리가 평소 먹는 면요리들과는 확연히 다른 생소한 면요리이다.

하지만 젓가락으로 면을 한입 맛보는 순간, 은은한 계란의 고소함이 느껴지는 꼬들꼬들하면서도 얇아서 툭툭 끊어지는 면발이 은근히 중독성 있다.

또 안에 있는 미끌미끌 완자는 숟가락으로 퍼서 입으로 직진하면 부들부들 종이 같은 만두피와 안에 꽉 차있는 부드러운 고기가 깔끔하고 개운한 국물과 잘 어울려 나도 모르게 같이 간 지인 몫의 완자까지 뺏어먹을 수 있을듯한 맛이다.

평소 먹는 면과는 식감이 달라 다소 거부감이 들고 또 어색할 수도 있지만 용기를 내어 도전해 본다면 후회할 일을 절대 없을 것이다.

다음번에 홍콩음식 전문점에 간다면 완탕면은 필수 주문음식이다

완탕면

젓가락으로 면을 한입 맛보는 순간

은은한 계란의 고소함이 느껴지는

꼬들꼬들하면서도

얇아서 툭툭 끊어지는

면발이 은근히 중독성 있다.

하가우

대나무 뚜껑을 열자 모락모락 떠오르는 김과 함께 자태를 비추는 다채로운 색깔의 아기자기한 중국의 만두 딤섬!

우리가 일반적으로 알고 있는 두꺼운 밀가루 피 속에 다양한 소를 넣어 익혀 먹는 만두와 달리 쌀가루, 전분, 그리고 밀가루를 이용한 얇은 피는 물론 만두보다도 두터운 두툼한 피로 만들어진 중국식 만두 및 과자류를 말한다.

쭈글쭈글한 피의 슈마이, 육즙이 가득한 샤오롱바오, 튀겨서 바삭바삭한 춘권과 향긋한 부추가 가득 차있는 고우초이가우까지 다양한 종류, 모양, 그리고 맛의 딤섬들이 존재하지만 그중에서 내 마음속 일등은 단연코 '하가우'다.

딤섬집에 가면 제일 먼저 나의 손이 가리키는 메뉴 하가우는 흰색 피로 내용물이 가려져 있는 다른 딤섬들과는 다르게 투명하고 얇은 피를 가지고 있어 속에 내용물이 훤히 보이는 게 매력인 딤섬이다.

요즘 과자들의 과대포장과 달리 빈틈 하나 없이 꼭짓점부터 모서리까지 새우살로 꽉꽉 차 있는 게 사람을 설레게 한다.

예의상 한번 '호호' 불어준 후에 입에 넣어주면...!

갓 조리된 새우의 열기에 고통스러워함도 잠시 얇고 쫀득쫀득한 피는 찹쌀떡처럼 이에 달라붙어 쫀쫀한 식감을 자랑하고 안에 있는 새우살은 탱글탱글하면서 큼지막해 씹자마자 새우의 짙은 풍미와 감칠맛이 입안에서부터 쫘악 퍼진다.

얇고 쫀쫀한 피와 거짓 하나 없이 속이 터질 듯이 가득 채워져 있는 하가우, 이런 매력들이 사람들이 하가우를 딤섬집에서 1순위로 주문하는 이유 아닐까?

하가우

얇고 쫀득쫀득한 피는

찹쌀떡처럼 이에 달라붙어

쫀쫀한 식감을 자랑하고

안에 있는 새우살은

탱글탱글하면서 큼지막해

씹자마자 새우의 짙은 풍미와

감칠맛이 입안에서부터

짜악 퍼진다.

세상엔 맛있는 게 너무 많아 29

2장
맛있는 길거리
간식

크레페

꽃다발을 연상시키는 노릇노릇한 색의 얇은 고깔 모양 반죽 속에 펴 발라진 꾸덕꾸덕한 초코잼과 중간중간 흩뿌려진 눈송이 같은 시리얼들 그리고 꽃다발 속의 꽃을 담당하고 있는 과일, 바나나와 딸기까지 차곡차곡 쌓아주면 정말 맛있는 꽃다발이 따로 없다.

'크레페 하나 주세요!'와 동시에 시작되는 아저씨의 현란한 손 놀림. 널찍한 동그라미 팬에 국자로 푼 반죽을 올림과 동시에 크레 페 제조가 시작된다. 기다란 망치모양 나무 재질의 기구로 판 위 에 반죽을 돌돌 굴려주면 굵었던 반죽이 어느새 얇고 평평해져 김 이 모락모락 나기 시작한다.

그렇게 구워진 반죽을 반으로 접어 무엇이든 맛있게 하는 초코잼 을 칼로 듬뿍 퍼담아 반죽에 쓱싹쓱싹 그림놀이를 하듯 펴 발라 준다. 그런 다음에 다 썬 바나나와 딸기를 올린 후 바삭바삭한 시리얼을 위에 솔솔 뿌려준 다음 다시 반으로 접어주면 크레페가 완성이된다.

종이포장지로 감싼 꼬다리를 종이컵에 '폭'하고 넣은 크레페를 받는 순간 먹을 생각에 가슴이 쿵쾅쿵쾅 뛰기 시작한다. 그렇게 끝 부분을 베어무니 '콰삭!'과 동시에 반죽은 과자처럼 가볍게 부서져 여기저기 흩뿌려진다.

안에 있는 초코잼과 과일의 달콤한 조합은 입안에서 확 퍼지며 과작과작거리는 시리얼도 씹는 맛과 이미 달달했던 크레페의 달달함을 더욱더 증폭시켜 맛이 없을 수 없는 조합이다.

얇고 바삭바삭한 반죽에 대비되는 묵직하고 화려한 재료들로 장식돼 마치 꽃집에서 산 듯한 크레페, 프러포즈할 때 꽃다발 대신 크레페를 주면 솔크 100% 탈출각이다.

크레페

얇고 바삭바삭한 반죽에 대비되는

묵직하고 화려한 재료들로 장식돼

마치 꽃집에서 산 듯한 크레페.

프러포즈할 때

꽃다발 대신

크레페를 주면

솔크 100% 탈출각이다.

닭강정

커다란 철판 위에 파도처럼 출렁이는 양념과 함께 춤을 추듯 잘 버무려져 달달 끈적하면서도 반짝반짝, 윤기 나는 빨간빛을 띠고 있는 이 요리는 시장에 가면 무조건 볼 수 있는 행사나 도시락에 무조건 빠질 수 없는 닭강정이다.

동글동글 먹기 좋은 사이즈의 노릇노릇 잘 튀겨진 닭이 자극적이지 않은 달콤하면서도 그 안에 은은한 매콤함이 포함되어 있는 끈적끈적한 양념과 잘 버무려져 맛있는 붉은빛을 띤다.

마성의 양념 소스와 안에 있는 부드럽고 촉촉하기도 한 닭고기살이 잘 어울려 이성을 잃고 계속 먹게 된다. 닭강정 위에 솔솔 뿌려진 땅콩 조각들도 자칫 느끼할 수도 있는 양념에 고소하면서도 짭조름한 맛과 오독거리는 식감이 맛을 더해줘 포인트를 확실하게 잡아준다.

나는 닭강정을 먹을 때 닭강정의 맛 다음으로 중요하게 생각하는 것이 있는데 그것은 바로 닭강정과 함께 있는 떡이다.

수 많은 빨간색 사이에서 흰색 떡을 찾으면 마치 금이라도 발굴한 듯그 희열은 말로 표현할 수 없다.

기름으로 튀겨져 바삭바삭하면서 양념의 달달함과 쩍쩍 소리를 내며 씹히는 게 떡의 쫀득함이 부드러웠던 닭강정과는 또 다른 식감을 선사해 먹는 재미를 주기도 한다.

쫀득 바삭한 튀김옷, 부들 촉촉한 속고기, 이 모든 것이 합쳐져 조화를 이루는 것이 바로 시장 국룰 음식 닭강정이다.

아, 참고로 나는 후라이드 보단 양념파!!

닭강정

동글동글 먹기 좋은 사이즈로
노릇노릇 잘 튀겨진 닭이
자극적이지 않은
달콤하면서도 그 안에
은은한 매콤함이
포함되어 있는
끈적끈적한 양념과
잘 버무려져
맛있는 붉은빛을 띤다.

탕후루

MZ세대 간식!

탕후루는 설탕과 물을 2:1 비율로 섞어 활활 타는 불에 구릿빛 노란 색을 띠고 보글보글 거품이 올라올 때까지 끓인 후 미리 휴지로 톡 톡 물기를 닦고 기다란 꼬챙이에 꽂아놓은 과일들을 설탕에 데굴 데굴 굴려서 시럽을 입히고 실온에 굳히면 완성이 되는 간식이다.

유튜브 쇼츠와 각종 미디어, SNS로 입소문을 타면서 유행하게 된 탕후루의 레시피만 듣고서 '이 쉬운걸 왜 굳이 사지? 만들면 되잖아!'라고 생각할 수도 있지만 마냥 쉬운 요리가 아니다.

물과 설탕의 비율이 완벽해야 하며 설탕이 끓는점을 매의 눈으로 찾아내 완벽한 타이밍에 시럽을 입혀야 한다. 나 역시도 탕후루 만 들기에 도전을 해봤지만 설탕이 단단해져 굳기는커녕 냉장고에 넣어놔 도 용암처럼 줄줄 흐르는 설탕시럽 뿌린 과일일 뿐이었다.

하지만 완성된 탕후루를 맛본다면?

얇고 바삭바삭하면서 이빨에 닿자마자 부서지는 달콤한 설탕 코팅에 수분감도 충분하고 달면서 새콤하기까지 한 과즙이 넘치는 과일의 조합은 그야말로 겉바속촉 그 자체다.

이미 달달한 설탕에 달달한 과일까지 합쳐져 더욱더 단 맛을 내며 바삭바삭 거리는 식감마저도 완벽하다.

와그작와그작하면서 부서지는 날카로운 설탕코팅에 잇몸이 찔릴 때도 있지만 달콤함의 절정을 느낄 수 있는 이맛을 포기할 수가 없다.

군데군데 생겨난 탕후루 전문 매장들을 보아하니 탕후루가 우리나라에서 하나의 국민간식으로 자리를 잡은듯하다.

다양한 과일 탕후루에 이어 오이 탕후루, 떡 탕후루, 그리고 마라 탕후루까지, 탕후루의 열풍은 식을 기미가 보이지 않는다.

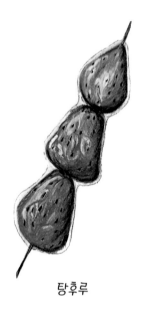

탕후루

얇고 바삭바삭하면서
이빨에 닿자마자 부서지는
달콤한 설탕 코팅에
수분감도 충분하고 달면서
새콤하기까지 한
과즙이 넘치는
과일의 조합은 그야말로
겉바속촉 그 자체다.

호두과자

차 안에서의 기나긴 여정을 지나는 도중 항상 들리는 그곳, 휴게소에 가족들은 급하게 화장실로 직진하지만 내가 원하는 건 따로 있다.

볼 일을 보고 손을 씻고 나오면 코 속을 찌르는 고소하고 달콤한 냄새가 나를 휴게소의 대표주자인 호두과자로 이끈다. 호두 모양을 띤 주름이 자글자글한 동그라미 빵들이 들어있는 종이포장지를 펼치면 모락모락 한 김과 함께 향긋한 호두냄새가 밀려 나와 나의 코를 가득 채운다.

인내심 따위 내다 버리고 호두과자를 바로 집었다간 마치 불에 덴 듯 그대로 다시 떨어뜨려버리기 일쑤지만 호두과자는 역시 따뜻할 때 먹어야 몇 배는 더 맛있다.

호두과자를 입에 넣은 순간 부드러우면서 살짝 바삭하기도 한 반죽과 촉촉하고 매끈한 식감의 달달하기까지 한 팥앙금이 조화롭게 섞여 담백하고 고소하면서도 달콤한 맛이 난다.

거기다 반죽 아래에 숨어있던 호두마저 입에 들어오는 순간 앙금의 달달한 맛을 호두의 고소함이 중화시켜 주면서 아작아작 씹을 수 있는 호두가 부드럽게 씹히는 반죽과 앙금이랑은 대비되는 식감을 느낄 수 있다.

요즘 시대에 걸맞게 호두과자도 발전을 하면서 다양한 속재료를 보유하고 있는 호두과자들이 늘어나고 있다.

담백하고 적당히 단 맛의 백앙금, 부드럽고 가벼운 맛의 크림치즈, 그리고 팥의 단맛과 버터의 느끼 고소함을 모두 보유하고 있는 앙버터까지 다채로운 맛들이 생겨나고 있다.

이렇게 사람들 취향에 맞는 여러 가지 맛의 호두과자가 늘어나 앞으로도 휴게소의 하이라이트 자리를 유지할 듯하다.

호두과자

담백하고 적당히 단 맛의 백앙금
부드럽고 가벼운 맛의 크림치즈
그리고 팥의 단맛과
버터의 느끼고소함을 모두 보유하고 있는
앙버터까지 다채로운 맛들이 생겨나고 있다.

3장
맛있는 베이커리
&
패스트푸드

당근 파운드케이크

마치 통나무를 연상시키는 기다란 네모 모양의 디저트인 파운드케이크.

'케이크'라고 하면 우리가 흔히 볼 수 있는 동글동글한 홀케이크나 뾰족뾰족한 조각케이크가 떠오르기 마련이지만 오직 빵과 재료로만 속이 꽉 찬 파운드케이크도 빼먹을 수 없다.

오븐에서 구워진 세월의 흔적을 보여주는 노릇노릇하고 온화한 노랑빛 갈색의 테두리와 그 위를 마치 도로를 덮은 눈처럼 펴 발라져 있는 하얀색 크림치즈, 떨리는 마음으로 케이크를 쏙싹쏙싹 반으로 잘라보면 후드득 떨어지는 보슬보슬한 빵가루와 함께 먹음직스러운 단면이 등장한다.

매끈매끈한 표면에 콕콕 박혀있는 작은 호두 조각 그리고 그 사이에 밝은 주황색을 띠며 케이크에 주인공답게 존재감을 표출하는 당근들, 포크로 한 조각 떼어내 입으로 직행하면 맛이 없을 수가 없다.

촉촉하지만 높을 밀도로 입안에 꽉 차 목구멍까지 꾹꾹 막히는 묵직한 한방을 선사하는 그 식감, 그것이 내가 바로 파운드케이크를 좋아하는 이유다.

위에 있는 묽은 크림치즈는 꾸덕촉촉한 케이크와 잘 어울리며 빵이 대부분을 차지해 심심할 수도 있는 케이크에 달달하면서 고소함을 더해준다. 그렇게 부드러우면서 묵직한 케이크를 먹다 보면 중간에 오독오독 소리를 내며 씹히는 호두 조각은 새로운 식감을 주는 것은 물론 약간의 고소함마저 더해 나머지 재료들과 완벽한 조화를 이룬다.

부드럽고 가벼운 맛에 크림치즈, 자박자박 씹히는 고소한 호두, 콕콕 박혀 있는 아삭아삭한 당근과 밀도 높은 꾸덕꾸덕 하면서도 촉촉한 빵의 조합은 언제나 맛있다.

다음에 케이크를 먹게 된다면 흔한 원형 케이크 말고 당근 파운드케이크를 선물하는 것도 나쁘지 않은 것 같다.

당근 파운드 케이크

촉촉하지만 높을 밀도로

입안에 꽉 차

목구멍까지

꾹꾹 막히는 묵직한 한방을

선사하는 그 식감.

그것이 내가 바로 파운드케이크를

좋아하는 이유다.

밤식빵

딸랑딸랑~

빵집문을 여니 고소한 빵냄새가 파도처럼 나를 덮쳐온다. 크림
빵, 식빵, 바게트, 크로켓부터 케이크까지 각종 빵들 사이에서
빛을 뽐내며 나의 눈길을 사로잡는 빵 하나가 바로 가을에 잘 어
울리는 밤식빵이다.

투명한 포장지 속에 훤히 보이는 눈처럼 새하얀 식빵 그리고 그
식빵과 대비되는 잘 구워진 짙은 갈색에 울퉁불퉁 돌이라도 쌓인
듯한 모양의 소보로와 얇게 썬 아몬드로 뒤덮인 겉면, 빵 중간중
간에 콕콕 박혀있는 샛노란 밤 알갱이들이 벌써부터 침샘을 자극
한다.

부드럽게 찢어진 식빵 한 조각, 입에 들어오는 순간 겉에 있던 달
콤 바삭한 소보루와 아몬드가 입에서 씹히며 고소함과 풍미를 더
해준다.

빵은 어찌나 부드럽고 퐁실퐁실한 지 마치 솜을 가득 채우다 못해 모서리까지 꾹꾹 밀어 넣은 푹신푹신한 베개처럼 부드럽고 촉촉해 입에서 금방 녹아 없어진다.

빵에 눌어붙어있던 밤 알갱이들은 빵의 푹신푹신함과 조화로운 꾸덕꾸덕한 식감에 달달한 맛이 담백하지만 자칫 심심할 수도 있는 식빵에 포인트를 준다.

어렸을 적에는 밤식빵에서 밤이 많이 몰아져 있는 곳만 잘라 보석 채굴하듯이 퍼먹고 밤이 거의 없는 끝부분만 남기곤 했었는데, 그럴 때마다 엄마에게 등이 시파래지도록 맞기도 했지만 이 또한 밤식빵에 담겨 있는 나만의 추억으로 간직하려고 한다.

밤식빵

빵은 어찌나 부드럽고 퐁실퐁실한지

마치 솜을 가득 채우다 못해 모서리까지

꾹꾹 밀어 넣은 푹신푹신한 베개처럼

부드럽고 촉촉해 입에서

금방 녹아 없어진다.

에그마요 샌드위치

나는 소스가 싫다.

평소에 새로운 음식들을 시도하는 것에 거리낌 없는 나지만 케첩, 머스터드, 그리고 마요네즈만큼은 도저히 입에 갖다 댈 수 없었다.

그랬던 나에게 등장한 혜성 같은 음식이 있었으니 바로, 에그마요 샌드위치이다. 에그마요를 처음 접한 건 빵집에서 파는 샐러드. 파릇파릇한 채소들과 오독오독한 견과류 사이에 화사한 노란색의 의문의 물체를 입에 처음 갖다 댄 순간을 나는 잊을 수 없다.

부드러우면서도 중간중간 씹히는 탱글탱글한 계란 흰자, 약간 느끼한 듯하면서도 고소한 맛에 '와, 미친 이거 뭐야 개 맛있어' 라는 감탄사를 연발하며 허겁지겁 입에 쑤셔 넣었던 기억이 있다.

촉촉하고 부드러운 식빵 사이에 더욱더 부드러운 에그마요, 입에 넣자마자 몇 번 씹지도 않았는데 녹아내려 버린다.

느끼할 수도 있는 에그마요를 빵이 잡아주면서 맛있음과 느끼함 사이에 중심을 잘 잡아낸다. 분명 질퍽질퍽해 보여 비주얼은 별로이지만 막상 입에 닿으면 퐁실퐁실한 구름을 입 안에 머금고 있는 듯하다.

극강의 고소함과 부들부들한 식감을 선사하는 에그마요 샌드위치는 식사대용으로도 간단한 간식으로도 제격이다.

마요네즈를 안 좋아하는 내가 에그마요에 관련해 한 페이지나 적었으면 말 다했으니 제발 드셔보세요..!!

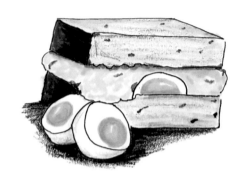

에그마요 샌드위치

촉촉하고 부드러운 식빵 사이에

더욱더 부드러운 에그마요,

입에 넣자마자

몇 번 씹지도 않았는데

녹아내려 버린다.

와플

밀가루, 계란, 우유, 그리고 소금 등을 섞어 만들어 벌집 모양 틀에 부어 구워 먹는 이 음식의 이름은 바로 와플이다. 와플은 여러 가지 재료들을 이용해 반죽을 만들어 그 반죽을 홈이 송송 나있는 전용 틀에 부어 격자 모양을 띄고 있는 빵이다.

갓 구워진 뜨끈뜨끈한 와플 위에 진한 우유맛이 나는 달달한 생크림을 칼로 펴 바른 후에 상큼한 과일과 잼, 그리고 여러 가지 한 입거리 토핑들로 장식해 준 후에 반으로 접어 꾹꾹 누르면 오늘날 우리가 흔히 발견할 수 있는 와플이 된다.

와플을 입에 넣는 순간 바삭바삭하면서 부드럽고 촉촉한 겉 반죽이 안에 숨어있던 달콤한 생크림과 새콤한 과일이 같이 입에 들어와 부드럽고 바삭바삭하면서도 달콤, 새콤함이 모두 잘 어우러져 배가 불러도 멈출 수 없는 마성의 맛을 지닌다.

또한 바삭 촉촉한 반죽과 달리 안에 있는 생크림은 혀에 닿는 순간 사라져 버리고 과일들은 아삭아삭해 다양한 식감을 선사한다.

와플에는 생크림과 과일을 넣어 먹는 것도 맛있지만 겹겹이 쌓아 슈가파우더와 메이플 시럽과 함께 뿌려먹어도 맛있다.

생크림의 가벼운 달달함과는 달리 메이플시럽은 묵직하고 꾸덕한 단맛을 선사해 각자의 매력이 돋보인다.

하지만 이 두 방법이 그토록 맛있는 이유는 아마 와플 빵 자체가 이미 완성작이기 때문이라고 할 수 있다.

와플

바삭 촉촉한 반죽과 달리

안에 있는 생크림은

혀에 닿는 순간 사라져 버리고

과일들은 아삭아삭해

다양한 식감을 선사한다.

햄버거

부동의 패스트푸드 1위이자, 패스트푸드 프랜차이즈 최다 매출을 담당하고 있는 이 음식은 바로 햄버거이다.

부드러운 참깨빵 위에 갓 구워진 순소고기 패티, 아삭아삭한 양상추, 촉촉 새콤한 토마토, 짭짤한 치즈, 달달한 양파와 크림의 풍미가 느껴지는 소스가 완벽한 조화를 이루어 입을 즐겁게 해준다.

입을 크게 벌려 그 동글동글한 모양을 한입 베어 물면 고기의 육즙이 위에 올려져 있던 치즈와 함께 섞여 나와 입안에서 춤을 춘다. 그러다 느끼해질 때면 안에 있던 야채들이 입을 상쾌함으로 강타해 느끼함을 물리치며 거기에 살짝 달달하면서 고소하기까지 한 소스가 골고루 버무려져 다채로운 맛을 느낄 수 있다.

또 버거 하면 빠질 수 없는 것이 바로 수제버거인데 수제버거는 일반 프랜차이즈 버거와는 달리 묵직한 토핑들과 두터운 고기에 꼬치가 꽂혀 있는 것이 특징이다.

수제버거의 빵은 일반 번 (Bun)과 달리 손가락으로 누를 면 사라질 듯이 바삭바삭거리는데, 입으로 들어올 때는 바삭거리다 사라지는 식감이 사람을 홀린다.

다만 수제버거는 크기가 너무 커서 칼을 넣자마자 픽-하고 쓰러져 재료가 뿔뿔이 흩어져 버리는 일이 빈번해 손바닥으로 빵을 꾹꾹 누른 뒤 한입에 넣는 것을 추천한다.

하지만 이런 불편함에도 우리가 햄버거를 놓을 수 없는 이유는 아마 기술이 발전해 고기 패티 대신에 치킨을 넣는 등 자신의 입맛과 취향대로 토핑을 넣을 수 있어서 아직까지도 사랑받고 있는 듯하다.

햄버거

입을 크게 벌려

그 동글동글한 모양을

한입 베어 물면 고기의 육즙이

위에 올려져 있던

치즈와 함께 섞여 나와

입안에서 춤을 춘다.

치즈스틱

떡볶이에는 튀김과 순대, 짜장면에는 탕수육과 단무지처럼 햄버거에는 어떤 것이 있다고 생각하나요?

감자튀김이 제일 먼저 떠오르는 사람이 대다수이겠지만 나에게는 감자튀김 말고도 생각나는 다른 한 가지 사이드가 있다.

바로 치즈스틱!

손가락만 한 크기에 노릇노릇하게 잘 구워져 황금빛과 약간의 갈색빛, 겉면에 겹겹이 쌓여 있는 튀김가루와 그 중간중간에 보이는 솔솔 뿌려져 있는 파릇파릇한 파슬리까지 황금빛깔 겉면과 약간의 노랑빛을 띠고 있는 새하얀 치즈의 색감이 참으로 조화롭다.

스틱을 반으로 가르면 잘 튀겨진 튀김옷 안에 숨어 있던 치즈가 액체 괴물처럼 쭈욱 늘어나며 모습을 드러낸다.

역시 갓 튀겨낸 치즈스틱 속에 치즈보다 더 잘 늘어나는 건 없다.

그렇게 반으로 가른 막대를 입에 넣으면 바삭바삭하면서 약간의 거칠거칠한 튀김옷이 혓바닥에 닿으며 짭조름한 기름맛과 파슬리 맛이 혀를 감싼다. 그렇게 베어문 곳에서 손을 떼면 뽀얀 흰색의 치즈가 마치 고무처럼 끝도 없이 늘어나 공중에 줄처럼 떠있다.

치즈가 바깥세상과 만나 줄넘기처럼 곡선을 그리며 바닥에 닿긴 전에 입으로 '쏙'하고 넣어버리면 바삭했던 튀김과 쫀쫀한 치즈가 만나 완벽하게 대비되는 식감과 짭짤 고소함의 맛을 느낄 수 있게 해 준다.

무엇과 조합해도 맛없을 수가 없는 치즈가 세상에서 제일 맛이 없는 것도 맛이 있게 해주는 튀김이 만난다니 이것만큼 완벽한 사이드가 있을 수 없다.

다음에는 햄버거와 감자튀김, 그리고 치즈스틱까지 주문해 보는 건 어떨까?

치즈스틱

치즈가 바깥세상과 만나 줄넘기처럼

곡선을 그리며 바닥에 닿기 전에

입으로 '쏙' 하고 넣어버리면

바삭했던 튀김과 쫀쫀한 치즈가 만나

완벽하게 대비되는 식감과

짭짤 고소함의 맛을 느낄 수 있게 해 준다.

달달한 맛, 짜거나 매운 맛, 감칠맛 등 세상엔 다양한 종류의 음식과 맛이 존재한다.

이 수 많은 맛들의 음식들을 사랑하고 맛있는 음식을 먹음으로 느꼈던 감정들을 솔직담백하게 표현하고 음식과 함께하는 행복한 이야기들을 담으려고 했다.

특히 좋은 날이거나 무기력해질때면 나는 맛집을 찾아가 거기서 눈 앞에 놓인 요리를 먹는다.

눈으로 한번 맛을 보고, 혀끝으로 느껴지는 맛과 식감까지 모든 감각이 만족스러워져 나도 모르게 어느새 입가엔 미소가 번진다.

맛있는 음식을 먹을때면 나는 위로를 받기도 하고 만족감을 느끼게도 만들어 준다.

여러분들도 맛있는 음식과 행복한 하루를 보내시길 바래본다.

좋은 날이거나 무기력해질때면

나는 맛집을 찾아가 거기서

눈 앞에 놓인 요리를 먹는다.

눈으로 한번 맛을 보고,

혀끝으로 느껴지는 맛과 식감까지

모든 감각이 만족스러워져

나도 모르게 어느새 입가엔 미소가 번진다.

The discovery of a new dish does more
for human happiness than
the discovery a new star.

- Jean Anthelme Brillat-Savarin -

새로운 요리의 발견은
새로운 별의 발견보다도
인류의 행복에 한층 더 공헌한다.

– 앙텔므 브리야 사바랭 –

세상엔

맛있는 게

너무많아

세상엔 맛있는 게 너무 많아

발   행 | 2024년 03월 20일
저   자 | 김지우
편   집 | 심지혜, 허지선
펴낸이 | 한건희
펴낸곳 | 주식회사 부크크
출판사등록 | 2014.07.15.(제2014-16호)
주   소 | 서울특별시 금천구 가산디지털1로 119 SK트윈타워 A동 305호
전   화 | 1670-8316
이메일 | info@bookk.co.kr
폰   트 | 교보손글씨 2019
ISBN | 979-11-410-7716-7

www.bookk.co.kr